¿LO SABÍAS?

LA SEGURIDAD

Jinny Johnson

Dirección editorial: Natalia Hernández
Diseño: Trudi Webb
© ticktock Entertainment Ltd
© SUSAETA EDICIONES, S. A.
C/ Campezo, s/n - 28022 Madrid
Tel.: 91 3009100 - Fax: 91 3009118
www.susaeta.com

Índice

Un hogar seguro

Muchos de los **accidentes domésticos** se pueden evitar fácilmente adoptando unas sencillas medidas de seguridad.

¡Peligro!

Los **cuchillos** de la cocina y las **tijeras** son peligrosos. No los utilices ni los cojas. Es mejor que avises a un adulto si necesitas cortar algo.

Medicinas

Por muy atractivas y apetitosas que puedan parecer a veces algunas **pastillas,** ¡no lo olvides: no son golosinas! Si te tomas por equivocación una medicina, avisa a un adulto; él sabrá qué hacer.

Las medicinas deben guardarse fuera del alcance de los niños.

Pastillas o píldoras

Las ventanas

Mirar por la ventana es divertido, pero entraña **riesgos.** No te asomes ni intentes abrir una ventana tú sólo; podrías caerte con facilidad.

Es preferible que contemples la calle a través del cristal.

Las escaleras

Al subir y bajar escaleras, agárrate bien a la **barandilla.** También evita dejar tus juguetes en los escalones: ¡podrías provocar una caída!

La escalera no es un buen lugar para jugar.

¡Lo sabías?

¿Es peligroso que me suba a los muebles?

Una librería quizá te parezca ideal para probar tus dotes de **escalador;** sin embargo, ¡no lo intentes! Aunque parezca que está firmemente anclada a la pared, puede venirse abajo si te subes a ella. ¡Es mejor que escales en el parque!

VOCABULARIO
doméstico
Propio de la casa

5

En la cocina

Es divertido convertirse en **pinche** de cocina por un día y hacer un bizcocho o ayudar a preparar el almuerzo. Pero no olvides que entraña algunos peligros.

Siempre alerta

Es preferible que te mantengas alejado de los **fogones.** Deja que sea un adulto quien ponga al fuego o al horno la receta que estés preparando.

Lo mejor es que pidas a un adulto que te ayude a cocinar.

6

Cazo

Cacerolas

Recuerda que no debes agarrar con la mano ningún **recipiente** que esté al fuego; te quemarías y podrías derramar el aceite hirviendo de la sartén.

Aparatos eléctricos

Nunca pongas en marcha un **aparato eléctrico** cerca del agua: ¡te electrocutarías! Tampoco introduzcas nada metálico en el microondas. Pregunta siempre a un adulto cómo debes utilizarlos; así no correrás ningún peligro.

Utiliza los cuchillos con mucho cuidado y mantén los dedos lejos de la hoja.

VOCABULARIO
pinche
Ayudante de cocinero

7

En el cuarto de baño

El cuarto de baño debe siempre estar muy **limpio.** Conviene utilizar productos de limpieza desinfectantes para eliminar los gérmenes que proliferan en este entorno.

La bañera

Siempre debes comprobar la **temperatura** del agua antes de meterte en la bañera o podrías quemarte. Lo mejor es que introduzcas el codo o, si no llegas, la punta de los dedos.

Ten cuidado al entrar y salir de la bañera: ¡es fácil resbalarse!

¡Sé considerado!

No olvides que no eres el único que utilizas el retrete. Sé **cuidadoso** y cierra la tapa cuando hayas terminado. Te lo agradecerán en casa y ayudarás a que los gérmenes no se expandan.

Manos limpias

Lavarse las manos es esencial, pues en ellas se concentran gérmenes que producen **enfermedades**.

Lávate las manos antes de comer.

¿Lo sabías?

¿Cuál es el mayor peligro del cuarto de baño?

Ten cuidado con los aparatos eléctricos en el baño. Si utilizas un secador de pelo, mantenlo alejado del grifo y la bañera, al igual que si enciendes un aparato de música. También es importante que no cierres con pestillo la puerta.

VOCABULARIO
expandir
Difundir o extender algo.

9

¡Fuego!

El fuego es uno de los grandes peligros del hogar. Por eso, no está de más que aprendas como prevenirlo y actuar en caso de **incendio**.

Qué no debes hacer

No juegues con **cerillas** ni mecheros.

No pongas ropa sobre lámparas ni **estufas.**

No te acerques demasiado a una **chimenea** o una estufa: podría prenderse fuego tu ropa y quemarte.

No juegues con los **enchufes** ni los cables.

Jugar con fuego es muy peligroso.

10

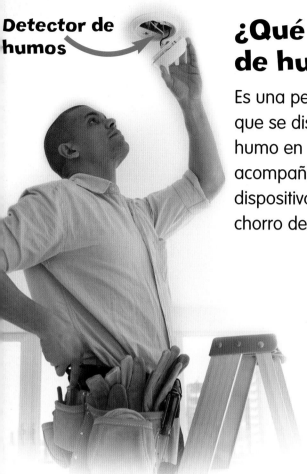

Detector de humos

¿Qué es un detector de humos?

Es una pequeña **alarma** que se dispara si detecta humo en el aire. Suele ir acompañada de un dispositivo que expulsa un chorro de agua a presión.

¿Lo sabías?

¿Qué es lo más peligroso del fuego?

El fuego es muy peligroso no sólamente porque quema, también lo es porque el humo que desprende es tóxico y provoca **asfixia.**

Qué hacer si hay fuego

Debes alejarte del fuego cuanto antes. Los adultos llamarán a los bomberos para que vengan a apagarlo. En España, el número de emergencias es el **112.** Utilízalo siempre que necesites ayuda urgente.

Piensa por dónde salir en caso de incendio en tu casa.

Seguridad online

Seguro que utilizas a menudo el ordenador y te encanta navegar por Internet. Si es así, debes tomar algunas medidas de seguridad. Deja que sean tus padres quienes decidan qué **páginas web** puedes visitar y cómo **chatear** sin riesgos.

No des tus datos a quien no conozcas y tampoco te cites con desconocidos.

¿Puedes dar tu nombre y dirección?

No es recomendable que des tu **nombre, dirección, teléfono** ni aportes datos sobre tu familia en Internet. Si algún desconocido te lo pide, coméntaselo a tus padres.

¿Puedes conocer a tus amigos internautas?

Debes hablar antes con tus padres. Existen adultos que se hacen pasar por niños con **malas intenciones.** Por eso, conviene que siempre te acompañe un adulto en caso de que conciertes una cita.

Habla con tus padres si algo te preocupa.

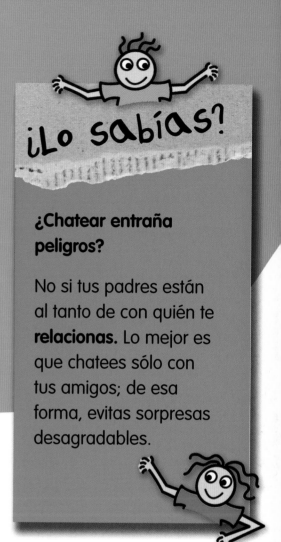

¿Chatear entraña peligros?

No si tus padres están al tanto de con quién te **relacionas.** Lo mejor es que chatees sólo con tus amigos; de esa forma, evitas sorpresas desagradables.

Correos «envenenados»

No respondas a ningún correo electrónico que te haya disgustado o te haya hecho sentir incómodo. **Avisa a tus padres;** ellos sabrán qué hacer.

Aprender a cruzar

Probablemente, siempre vas acompañado de un adulto cuando sales a la calle; pero, aun así, debes aprender a **cruzar**.

Cruzar la calle

Lo primero es localizar el **paso de cebra;** es decir, el lugar reservado para que los peatones crucen. Aunque en ellos el peatón tiene preferencia, siempre debes esperar a que el coche pare antes de pasar.

Escucha.

Mira en ambas direcciones.

Pararse, mirar, escuchar

Párate en la acera junto al paso de cebra. Mira en las dos direcciones y escucha. A veces, un vehículo aparcado te puede impedir ver la calle; es entonces cuando el ruido del coche aproximándose te servirá para advertir el peligro. Es arriesgado cruzar un paso de cebra **si no nos ven** bien los coches; el conductor podría no tener tiempo de frenar.

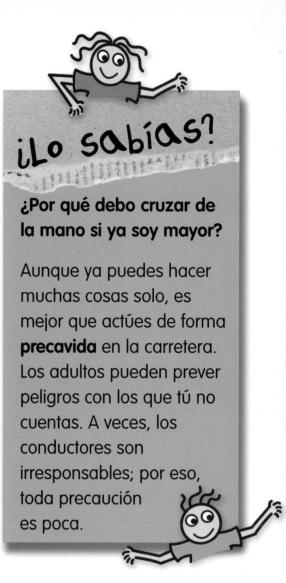

¿Lo sabías?

¿Por qué debo cruzar de la mano si ya soy mayor?

Aunque ya puedes hacer muchas cosas solo, es mejor que actúes de forma **precavida** en la carretera. Los adultos pueden prever peligros con los que tú no cuentas. A veces, los conductores son irresponsables; por eso, toda precaución es poca.

¡No corras!

Nunca te aventures a cruzar la calle sin haberte parado antes. Puedes no haber visto un coche o, aun peor, el conductor puede no haberte visto a ti.

Sobre ruedas

Las **normas** están para cumplirlas y, especialmente, las de seguridad. En el coche, la moto o la bici, no olvides ir bien protegido para lo que pueda pasar.

Cinturón de seguridad

Bien sentado

Hasta que midas 1,35 m, debes ir en una **sillita de coche o un elevador** cuando viajas en automóvil. Además, no olvides ponerte el cinturón de seguridad.

No olvides ponerte el casco si montas en bici.

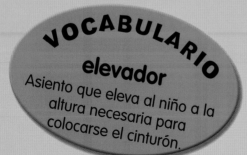

VOCABULARIO

elevador
Asiento que eleva al niño a la altura necesaria para colocarse el cinturón.

16

Montar en bicicleta

El **casco** es imprescindible si vas a montar en bicicleta. Si no lo llevas, pueden multar a tus padres. Además, es aconsejable que te pongas **rodilleras y coderas.**

Qué no debes hacer en un coche

Conducir es difícil y exige mucha **atención** por parte del conductor. Por eso, no debes distraerle haciéndole que vuelva la cabeza o arrojando juguetes hacia delante.

¿Lo sabías?

¿Por qué debo ir en sillita de seguridad en el coche?

Porque los cinturones de seguridad están diseñados para los adultos; los niños necesitáis una **protección extra.** Si no estás bien sujeto, puedes salir disparado en caso de frenazo o choque.

¡No te asomes!

No saques la cabeza o el brazo por la ventanilla, es peligroso. Tampoco debes abrir la puerta con el coche en marcha; podrías provocar un **accidente.**

¡No te conozco!

¡Nunca hables con **desconocidos**! Si en la calle se te acerca alguien a quien no conoces, si notas que te siguen o te ofrecen algún regalo, pide ayuda cuanto antes.

No aceptes regalos ni invitaciones de desconocidos.

No confíes en desconocidos

Si tus padres no te pueden ir a buscar al colegio, darán una **autorización** a otro adulto. Si un desconocido te dice que es él quien te recoge esa tarde en el colegio, consulta antes con tu profesor, él sabrá si es cierto. Nunca te vayas con un desconocido sin que lo sepa nadie.

Es mejor que a la calle vayas acompañado por un adulto.

¡Desconfía!

Si un adulto a quien no conoces te pide en la calle que le **ayudes** a buscar un perro que se le ha escapado o que le indiques una dirección, lo mejor es que, amablemente, le digas que se lo pida a otro adulto.

¿Lo sabías?

¿Son siempre los extraños peligrosos?

Lógicamente, no. La mayoría de las personas son **de fiar.** Sin embargo, los niños estáis indefensos y algunos adultos se aprovechan de ello. Si necesitas ayuda en la calle, dirígete a un policía, él sabrá qué hacer.

VOCABULARIO
indefenso
Que no puede defenderse.

Otros peligros

Ir al parque, de excursión, a la piscina o el mar es muy divertido. Tan sólo hay que tomar ciertas **precauciones** para evitar disgustos.

En la piscina

¡Al agua!

Juega en la **piscina** o el mar todo lo que quieras, pero siempre cuando haya un adulto vigilándote.

El sol

Si vas a estar expuesto al sol, es necesario que te **protejas.** Lo primero es ponerte crema solar protectora en el cuerpo; también es aconsejable que lleves un gorro y gafas de sol.

Plantas venenosas

Estas bayas son venenosas.

No debes comer los **frutos** de plantas que no conozcas, pueden hacerte enfermar. Las hojas, bayas y flores de algunas plantas son venenosas.

El parque es un lugar seguro donde puedes divertirte a tus anchas.

¿Lo sabías?

¿Por qué es tan importante protegerse del sol?

Si te expones al sol durante mucho tiempo y sin protección, puedes quemarte y sufrir una insolación; es decir, te sentirías mareado, tendrías náuseas e, incluso, fiebre.

VOCABULARIO
bayas
Fruto carnoso con semillas

Precaución con los animales

No podemos olvidarnos de que nuestras **mascotas,** por muy cariñosas y dóciles que se muestren, son animales.

Sé prudente

No conviene que te acerques a un perro que no conoces y lo acaricies. Puede asustarse y **reaccionar mordiéndote.** La forma correcta de comportarse es preguntar al dueño si puedes acarciarlo antes de hacerlo.

Deja que el perro te huela antes de acariciarlo.

Evita acercarte a un animal que esté con sus **crías o comiendo.** En ese momento, es mejor no melestarlo.

¡Cuidado!

Los animales que no son domésticos, es decir, que viven en su **entorno natural,** no están acostumbrados al hombre y pueden ser peligrosos.

Avispero

No **beses** a tu mascota ni dejes que te lama la cara.

¿Lo sabías?

¿Puede ser mi propio perro peligroso?

Los perros son animales **muy fieles** y, por regla general, jamás harían daño a su dueño. Sin embargo, hay casos extraordinarios: por ejemplo, si se pelea con otro perro y tratas de separarlos, puede morderte por accidente.

Lávate las manos tras estar con animales.

23

Vocabulario

Animales domésticos: animales que se han criado en compañía del hombre.

Aparatos eléctricos: son aquellos que para funcionar necesitan recibir corriente eléctrica.

Asfixia: interrupción de la respiración que puede conducir a la muerte.

Autorización: permiso oral o por escrito que, en este caso, los padres dan a otra persona para que se ocupe de su hijo.

Chatear: consiste en comunicarse con otras personas a través de Internet.

Desinfectante: producto que acaba con los gérmenes; por ejemplo, la lejía.

Electrocutarse: morir por una descarga eléctrica.

Entorno: ambiente que nos rodea.

Entrañar: acción que, en este caso, puede provocar un accidente o conlleva un riesgo.

Online: en español, «en línea». Siginifica estar conectado a un sistema central; en este caso, a Internet.

Página web: documento de Internet que ofrece información por medio de texto e imágenes.

Precavido: persona que toma precauciones.

Prevenir: evitar un daño antes de que suceda.

Proliferar: que se multiplica abundantemente; en este caso, los gérmenes.

Urgente: que necesita atención inmediata; en este caso, una emergencia.

Créditos fotográficos (a=arriba; ab=abajo; c=centro; i=izquierda; d=derecha; PDC=primera de cubierta; CDC=cuarta de cubierta):
Altrendo Images/Getty Images: 18ad. Cornstock Images/Getty Images: 16i. Ghislain & Marie David de Lossy: 5abi. Flying Colours/Getty Images: 18abi. iStock: CDCad, 5a, 6, 7ab, 8, 10ab, 23ab. JGI/Getty Images: 11ai. Shutterstock: PDCabd, PDCabd, 1, 4 ambas, 7a, 9 ambas 10a, 11abd, 12, 13, 14–15 todo, 16d, 17, 19, 20abi, 21 ambas, 22, 23a, CDC. Somos Images/Photolibrary.com: 20ad. Hayley Terry: PDCai y todo.

Se ha puesto todo el empeño necesario para buscar y citar los derechos de autor correspondientes. Cualquier posible omisión será solventada en la siguiente reimpresión del libro.